KB035815

오늘 더 행복해!

SEOUL, 2018

오늘 더 행복해!

초판 제1쇄 발행일 2018년 9월 25일
초판 제3쇄 발행일 2022년 3월 20일
글 로세 라게르크란츠 그림 에바 에릭손 옮김 황덕령
발행인 박헌용, 윤호권 발행처 (주)시공사
주소 서울시 성동구 상원1길 22, 6-8층 (우편번호 04779)
대표전화 02-3486-6877 팩스(주문) 02-585-1247
홈페이지 www.sigongjunior.com

Mitt hjarta hoppar och skrattar by Rose Lagercrantz and Eva Eriksson
Text ⓒ Rose Lagercrantz, 2012
Illustrations ⓒ Eva Eriksson, 2012
Korean translation copyright ⓒ 2018 by Sigongsa Co., Ltd.
All rights reserved.
The Korean language edition published by arrangement with
Bonnier Group Agency, Stockholm through MOMO Agency, Seoul.

이 책의 한국어판 저작권은 모모 에이전시를 통해
Bonnier Group Agency와 독점 계약한 (주)시공사에 있습니다.
저작권법에 의해 한국 내에서 보호받는 저작물이므로, 무단 전재와 무단 복제를 금합니다.

ISBN 978-89-527-8760-6 74890
ISBN 978-89-527-5579-7 (세트)

*시공사는 시공간을 넘는 무한한 콘텐츠 세상을 만듭니다.
*시공사는 더 나은 내일을 함께 만들 여러분의 소중한 의견을 기다립니다.
*잘못 만들어진 책은 구입하신 곳에서 바꾸어 드립니다.

KC마크는 이 제품이 공통안전기준에 적합하였음을 의미합니다.
제조국 : 대한민국 사용 연령 : 8세 이상
책장에 손이 베이지 않게, 모서리에 다치지 않게 주의하세요.

오늘 더 행복해!

로세 라게르크란츠 글·에바 에릭손 그림·황덕령 옮김

시공주니어

차례

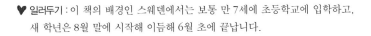

♥ 일러두기 : 이 책의 배경인 스웨덴에서는 보통 만 7세에 초등학교에 입학하고,
새 학년은 8월 말에 시작해 이듬해 6월 초에 끝납니다.

첫 번째 이야기

둔네가 돌아왔어요! 행복한 아이 둔네 말이에요.

가끔 행복하지 않을 때도 있지만, 그런 때를

세어 보지는 않아요.

둔네는 불행을 참지 못해요. 너무 마음이

아프니까요. 그래서 슬픈 이야기에는 새로운

결말을 지어 주지요.

둔네가 좋아하는 것은 기니피그 '눈'이랑 '송이',
그림 그리고 만들기, 늦잠 자기, 친구와 놀기예요.
함께 놀 친구들이 있다면 말이지요.

처음 초등학교를 다니기 시작했을 때만 해도,
둔네는 같은 반에 아는 친구가 아무도 없었지만,
지금은 달라요.

지금은 메테보리와 쿠덴을 알지요.

대벌레(나뭇가지처럼 생긴 곤충:옮긴이)를
146마리나 가지고 있는 요나탄도 알고요.
요나탄은 대벌레들이 아주 귀엽대요.

물론 비칸도 알아요. 반에서 비칸을 모르는
사람은 없어요. 비칸은 여기저기를 돌아다니면서
5분에 한 번씩 양치질하거든요. 치과 의사인 비칸
엄마는 이틀에 한 번씩 입을 헹굴 때마다 쓰는
불소액을 준대요.

비칸은 같은 반에 있는 모든 남자아이를
좋아해요. 눈 깜빡! 하면 좋아하는 사람이 바뀔
정도예요. 미칸도 마찬가지고요.

그날은 비칸과 미칸이 쿠덴을 좋아하게 된
날이었어요. 둘이 거의 동시에 말이지요…….

비칸과 미칸은 쿠덴에게 사귀자고 말할
참이었어요. 쿠덴이 누구를 선택할지 아주
조마조마해하면서요.

미칸은 자신이 오린 커다란 종이 하트를
뿌듯하게 바라보며 말했어요.

"당연히 나지."

비칸도 종이에 하트를 그리면서 말했어요.

"그렇게 확신하지 마."

비칸과 미칸은 항상 서로를 따라 했어요.

두 번째 이야기

쉬는 시간이 되었어요. 비칸과 미칸이 곧장
달려가 쿠덴을 붙잡았어요.
비칸이 소리쳤어요.
"너 나랑 사귈 거지?"

미칸이 소리쳤어요.

"아니야! 나랑 사귈 거지?"

쿠덴은 대답 대신 비칸과 미칸의 손을
뿌리쳤어요. 축구를 하러 가야 해서 대답할
시간이 없었거든요.

잠시 후에 쿠덴이 돌아왔어요. 그런데 쿠덴은
미칸과 비칸이 아니라 둔네에게 사귀고 싶다고
말했어요. 그런 다음 쿠덴은 주머니에서 껌을
꺼내서 둔네에게 주었어요.

쿠덴은 다시 공을 차러 가 버렸어요.

쿠덴의 축구 팀이 경기에서 이기지 못하면

쿠덴은 아빠한테 심한 꾸지람을 들었어요. 쿠덴의

아빠는 쿠덴의 축구 코치에게도 불평했어요.

둔네는 껌을 코에 가까이 댔어요. 라즈베리

향기가 났어요.

　둔네가 다시 고개를 들었을 때 이미 비칸과
미칸은 놀이터로 뛰어가고 없었어요.
　둔네는 서둘러 비칸과 미칸을 따라가서
같이 놀자고 했어요. 하지만 비칸은 대답하지
않았어요. 둔네를 공기 취급한 거였어요.
누군가를 없는 사람 취급할 때 그렇게 대하지요.

미칸은 둔네가 썩은 바나나라도 되는 것처럼
멀리했어요.

둔네는 슬펐어요. 둔네에게 가장 중요한 건
친구들과 친하게 지내는 것이었거든요.
둔네가 말했어요.
"껌 줄까?"
미칸이 콧방귀를 뀌며 말했어요.
"아니, 필요 없어. 학교에서 껌을 씹으면 안 돼."

"넌 그것도 몰라?"

비칸이 차갑게 말하고는 정글짐으로 가

버렸어요.

둔네는 가만히 서서 둘을 바라보다가 쓰레기통

앞으로 갔어요. 그러고는 껌을 던져 버렸어요.

세 번째 이야기

　쉬는 시간 이후로 둔네는 더 이상 행복하지
않았어요. 노르셰핑으로 이사를 간, 가장 친한
친구 엘라 프리다가 보고 싶을 뿐이었지요.
둔네 옆자리는 아무도 앉지 못해요. 요나탄도
수시에도……. 그 누구도 말이에요. 그곳은 엘라
프리다의 자리였거든요.

쿠덴이 와서 "앉아도 되니?"라고 물었을 때도
둔네는 고개를 저으며 말했어요.
"엘라 프리다는 그럼 어디 앉으라고?"
쿠덴은 당황해서 둔네를 바라보았어요.
둔네가 서둘러 말했어요.
　　　　　"그러니깐, 엘라 프리다가
　　　　　　돌아왔을 때 말이야."

쿠덴과 둔네의 대화를 듣고 있던 선생님이 낮게
한숨을 쉬며 말했어요.

"둔네, 엘라 프리다는 돌아오지 않아."

둔네는 중얼거렸어요.

"그건 아무도 모르는 거예요."

다른 사람이 "희망이
없어!"라고 말해도
둔네는 희망을
버리는 아이가
아니었던 거지요.

평소 둔네의 일상은 보통 이래요.

월요일에는 '체육 시간'이 있어요.

수요일에는 '한 주의 단어 시간'이 있어요.

'한 주의 단어 시간'의 좋은 점은 백 점을

받으면 황금 별 스티커를 준다는 거예요.

그리고 매일 11시 15분 전이면 점심을 먹어요.

네 번째 이야기

둔네와 엘라 프리다는 식당에서도 늘 붙어
앉았어요. 식당 끝에 있는 자리의 식탁에
말이에요. 둔네는 소시지와 으깬 감자가 담긴
접시를 들고 식당 구석으로 갔어요.

둔네는 조용히 혼자 앉아서 즐거운 생각을 하고
싶었어요.

둔네가 가장 잘하는 거니까요.

둔네는 자신이 아는 모든 기니피그를
떠올렸어요. '까불이'라고 이름 붙인 기니피그와
'꼬맹이'라고 이름 붙인 기니피그, 그리고 둔네의
기니피그인 '눈'과 '송이'도요.

이번에 둔네는 자신이 갔던 여러 곳을
떠올렸어요.
친할머니가 사는 로마, 외할머니와
외할아버지가 사는 롭스텐(스톡홀름에 있는 지역
이름:옮긴이) 그리고 엘라 프리다가 지금 살고
있는 노르셰핑을 말이에요.
둔네가 아는 가장 즐거운 곳들이지요.
노르셰핑에는 여러 종류의 나무들을 심어 놓은
공원이 있어요. 그중에는 올라가기 쉬운 나무들도
있고, 조금 어려운 나무들도 있지요.
전에 그 공원에 놀러 갔을 때 둔네와 엘라
프리다는 가장 어려운 나무에 오르기로
결심했었지요. 아래로 뻗은 나뭇가지가 하나도
없는 그런 나무였어요.

아주 높은 나무여서 의자를 가져와 발을 디디고
올라야 했어요. 둔네와 엘라 프리다는 몇 시간
동안 나무 위에서 원숭이 놀이를 하며 놀았어요.
지난 부활절 방학 내내요. 그 이후로 아주 긴
시간이 흘렀지만요.

둔네와 엘라 프리다는 원숭이 놀이를 할 때,
원숭이 말로 대화를 했어요. '우우우' 거리는
소리와 '아아아' 같은 소리를 내면서 말이에요.

물론 바나나를 먹고 나뭇가지에 꼬리로 매달려
보는 연습도 했어요.

둔네와 엘라 프리다는 꼬리가 없어서 팔과
다리를 써서 나뭇가지에 매달렸어요.

그러다 나무에서 잠시 내려와서 바나나를 더
가지러 집으로 갔어요.

둔네와 엘라 프리다가 나무로 돌아왔을 때
의자가 사라지고 말았어요. 어쩔 수 없이 다른
의자를 가져왔지요. 나무에 올라가려면 그러는
수밖에 없었으니까요.

둔네와 엘라 프리다는 저녁이 되어서야 원숭이
나무에서 내려왔어요. 그리고 집을 향해 껑충껑충
뛰면서 목청 높여 노래를 불렀어요. 당연히
원숭이 노래를 불렀지요.
달은 빛을 뿜고, 나무는 쉬쉬 소리를 내고,
개 한 마리가 근처에서 왕왕 짖어 댔어요.
노르셰핑에서는 모든 일이 즐거웠답니다.

다음 날 다시 가져갔던 두 번째 의자도
없어졌어요. 신기한 일이었어요. 엘라 프리다의
엄마는 둔네와 엘라 프리다를 꾸짖었어요. 더
이상 의자를 못 가지고 나가게 했고요. 엘라
프리다의 두 번째 아빠도 그래야 한다고 했어요.

엘라 프리다에게는 두 명의 아빠가 있어요.
엘라 프리다가 말해 준 적이 없는 진짜 아빠와
'울프'라는 두 번째 아빠가 있어요. 엘라 프리다는
그를 '우페'라고 부르지만요.
우페는 식탁 의자는 부엌에 둬야지, 공원에
놓아두면 안 된다고 했어요.

그래서 둔네와 엘라 프리다는 더 이상 원숭이
놀이는 하지 않고 기니피그와 놀았어요. 그것도
즐거웠고요.

다섯 번째 이야기

둔네는 학교 식당에 앉아서 노르셰핑에서
있었던 즐거운 일들을 생각하고 있었어요. 그때,
선생님이 둔네에게 다가왔어요.
선생님이 물었어요.
"왜 안 먹니?"

둔네는 놀라서 자신의 접시를 내려다봤어요.
생각에 잠겨 있느라 학교 식당에 있다는 것도
깜빡한 거였어요.

"자, 이제 다른 친구들과 같이 앉으러 가자꾸나."

둔네는 하는 수 없이 자리에서 일어나 선생님을
뒤따라갔어요. 그런데 선생님이 의자를 들고는
어디로 갔는지 알아요?

오, 안 돼! 비칸과 미칸 사이라고?

둔네는 속으로 생각했어요.

'이런, 더 나빠질 텐데.'

둔네의 생각이 맞았어요.

비칸과 미칸은 큰 소리로 둔네의 의자를 둘
사이에 밀어 넣는 선생님에게 항의했어요.

비칸이 소리쳤어요.

"싫어요. 그러시면 저 기절해 버릴 거예요."

미칸도 항의했어요.

"우리는 죽을 때까지 서로의 옆에 붙어 앉기로
했다고요."

　그러나 결국 비칸과 미칸은 몸을 움직여 둔네가
앉을 자리를 내어 줘야만 했어요.

둔네는 비칸과 미칸 사이에 앉게 되었어요.
그런 다음 케첩 통을 집어서 접시에 케첩을 조금
뿌렸어요.

둔네가 케첩 통을 다시 제자리에 놓으려고 할
때였어요. 비칸이 케첩 통을 가로챘어요.

비칸이 말했어요. 둔네에게 고약한
전염병이라도 있는 것처럼요.

"이것 봐! 둔네가 만진 케첩 통을 내가 잡았어.
어떡해."

미칸도 케첩 통을 잡으며 말했어요.

"나도야! 우웩."

둔네는 아무렇지 않은 척하려고 애썼어요.

여섯 번째 이야기

그러나 잠시 후 더 괴로운 일이 일어났어요.
비칸이 둔네의 팔을 아주 세게 꼬집었어요.

둔네는 아무렇지 않은 척했어요.
누군가 바보같이 굴 때 그렇게 하라고 아빠가
말하곤 했거든요.

이번에는 미칸이 둔네를 더 세게 꼬집었어요.
둔네는 정말 아팠어요.

비칸과 미칸은 둔네가 소리를 지르고 자리에서
일어날 때까지 계속해서 꼬집었어요.

둔네는 주변을 잽싸게 둘러보고는 케첩 통을
들어 미칸에게 쏘았어요.
케첩이 뿜어져 나갈 때 이런 소리가 났어요.
"뿌슈!"
둔네는 케첩을 미칸의 이마에 정확하게
명중시켰어요.

그런 다음 몸을 돌려 비칸에게도 쏘았어요.
"뿌슈! 뿌슈!"
그러나 케첩은 빗나갔어요. 비칸이 아니라
지나가던 선생님이 맞아 버렸지요.
둔네는 놀라 케첩 쏘는 걸 멈추었어요.

그리고 케첩 통을
내려놓고 식당 문 쪽으로 달아났어요.
　둔네는 달려가다 말고 뒤를 돌아보았어요.
'내가 무슨 짓을 한 거지?'

　선생님이 소리쳤어요.
"멈춰! 거기 서, 둔네!"
　그러나 둔네는 못 들은 척 달아났어요. 식당을
빠져나와 학교를 등지고 집으로 달려갔어요.

일곱 번째 이야기

둔네가 사는 집은 홈레에 있어요. 썰매 언덕에서
더 안쪽으로 들어가야 해요.

썰매 언덕은 겨울이 되면 눈썰매를 타는
아이들로 늘 붐비는 곳이에요.

지금은 봄이어서, 언덕은 초록색 잔디로 덮여
있고, '실리아'라는 이름의 조그마한 파란색
꽃들로 가득해요. 하지만 그날만큼은 예쁜 꽃들이
둔네의 눈에 전혀 들어오지 않았어요.

그저 집으로 어서 들어가고만 싶었어요.

현관문은 잠겨 있었어요. 아빠가 회사에
있을 시간이니까요. 다행히 둔네는 비상용
열쇠가 계단 옆 화분 밑에 숨겨져 있다는
것을 생각해 냈어요.

둔네는 열쇠를 꺼내 문을 열고 집 안으로 급히
들어가 신발을 벗어 던졌어요. 신발 한 짝은
모자를 두는 선반에 떨어졌고, 다른 한 짝은
꽃병이 놓인 작은 탁자로 날아갔어요.

그러자 꽃병이 그만 바닥에 떨어져
깨져 버렸어요. 둔네도 마찬가지였어요.
둔네도 깨진 것만 같았어요. 마음이
말이에요.

둔네는 바닥에 쭈그리고 앉아 와락 울음을
터뜨렸어요.

꽃병 때문에 눈물이 났고, 다정한 선생님에게
케첩을 뿌린 것 때문에 눈물이 났고, 비칸과
미칸이 바보같이 굴었던 것 때문에 눈물이
났어요. 그렇지만 가장 슬픈 건 엘라 프리다가
아직도 돌아오지 않았다는
것이었어요. 얼마나 펑펑
울었는지, 하얀 토끼의
눈처럼 빨개졌어요.

기니피그 눈이랑 송이가 둔네를 걱정스럽게
쳐다봤어요.
평소에는 둔네가 돌아오면 기쁘게 폴짝폴짝
뛰면서 둔네의 행복한 얼굴을 보곤 했는데,
지금은 가만히 앉아 둔네를 걱정스럽게
바라봤어요.

기니피그는 섬세한 동물이에요. 자신의
엄마가 기분이 안 좋은 것을 눈치채면 자신들도
시무룩해지지요. 눈이랑 송이에겐 둔네가
엄마와도 같았어요.

눈이랑 송이는 둔네가 무엇을 하든 둔네를
사랑하고, 늘 둔네의 편이었어요. 송이는 둔네가
케첩을 쏜 것이 잘한 일이라고 생각했어요.
자신을 지키려고 했던 것이니까요. 눈이는
무엇이든 새로운 일이 일어나면 재미있다고
생각했어요.

그때, 현관문 쪽에서 소리가 들렸어요. 둔네는
자리에서 일어나 방문에 귀를 바짝 붙였어요.

아빠였어요!

아빠는 수요일이면 평소보다 일찍 일을
마치거든요.

여덟 번째 이야기

둔네는 옷장 문이 끽 열리는 소리를 들었어요.
아빠가 운동복을 꺼내는 소리였어요. 아빠는
수요일마다 숲속으로 달리기를 하러 가거든요.

그러고 나서 곧 조용해졌어요. 그런데 잠시 후
아빠의 발소리가 점점 가까워졌어요.

둔네는 잽싸게 방문을 잠갔어요. 정말 간발의
차이였어요. 아빠가 둔네의 닫힌 방문을 열려고
문손잡이를 잡아당겼어요.

아빠가 말했어요.

"둔네야, 무슨 일 있어? 왜 이 시간에 집에 있니?"

둔네는 입을 손으로 막았어요.

"안 좋은 일이라도 있었니?"

잠시 말을 멈췄던 아빠가 다시 말했어요.

"꽃병 때문에 그러니? 깨진 건 아쉽지만, 그럴
수도 있지. 우리 예쁜 딸이 중요하겠어, 낡은
꽃병이 중요하겠어? 둔네, 그러지 말고 문 열어 봐."

그러나 둔네는 더 이상 아빠의 말을 무조건
따르는 아이가 아니었어요. 둔네의 또 다른 모습인
거지요. 둔네는 학교에서 있었던 일을 절대로
아빠에게 말하지 않겠다고 결심했어요.

하지만 그럴 필요가 없어졌어요. 그때 갑자기
전화벨이 울렸어요. 아빠는 전화를 받느라 잠깐
방문에서 멀어졌다가 곧 되돌아왔어요.

아빠가 화난 목소리로 말했어요.

"문 좀 열어 봐. 지금 학교로 가서
네가 뿌린 케첩을 맞은 모두에게
제대로 사과해야지!"

둔네는 고래고래 소리를 지르며 바닥에 몸을
던졌어요.

눈이랑 송이에게 말했어요.

"난 죽어 버릴 거야. 아빠가 그걸 원하는걸!"

눈이랑 송이는 계속해서 이를 딱딱 부딪쳤어요.
기니피그들이 흥분하면 그렇게 하곤 하지요.

잠시 후 아빠는 포기했는지 가 버렸어요.

아홉 번째 이야기

둔네가 다른 생각을 할 수 있게 된 것은 시간이 한참 흐른 뒤였어요. 둔네는 슬플 때면 즐거운 것을 생각하곤 하지요. 둔네의 머릿속에서 생각들이 파다닥 날아올랐어요. 걱정에 빠진 새들이 어디에 내려앉을지 모르는 것처럼 말이에요. 다시 노르셰핑을 떠올리자 조금 기분이 나아졌어요.

둔네는 필요할 때마다 언제든지 노르셰핑을 생각할 수 있었어요. 그곳에서 일어나는 안 좋은 일은 딱 한 가지, 집으로 돌아오는 것뿐이었어요.

지난 부활절 방학에 둔네가 엘라 프리다의 집에 놀러 갔을 때 안 좋은 일이 일어났었죠.

둔네와 엘라 프리다가 가장 즐거운 시간을
보내고 있을 때, 둔네의 아빠는 차를 타고 와서
둔네를 데려가려고 했어요.

둔네와 엘라 프리다는 엘라 프리다의 인형과
동물 인형들의 수술을 막 끝내고 침대에
내려놓고 있었어요.

아빠는 작별 인사를 하고 다시 스톡홀름의
홈레로 돌아가야 한다고 했어요.

엘라 프리다의 엄마가 말했어요.

"커피라도 한잔하고 가시겠어요?"

"아, 그럴까요? 감사해요."

둔네의 아빠는 엘라 프리다의 엄마를 따라
부엌으로 들어갔어요.

그때 엘라 프리다의 머릿속에 좋은 생각이
떠올랐어요.

곧바로 둔네에게 속삭였어요.
"우리 도망가자!"

둔네와 엘라 프리다는 곧장 행동에 옮겼어요.
엘라 프리다는 도망갈 때 챙겨 가면 좋은 것들을
모아서 짐을 쌌어요. 담요, 소시지, 베개 두 개,
칫솔 두 개, 손전등, 과자, 사탕을 말이지요.
　둔네는 책 한 권, 반창고, 가위, 사과 두 알, 이제
다 나아서 건강해진 동물 인형 두 개를 챙겼어요.
　둔네와 엘라 프리다는 힘을 합쳐 모든 준비물을
침대보에 넣고 꼭꼭 묶었어요. 침대보는 아주
커다란 보따리가 되었어요.

엘라 프리다가 말했어요.

"의자도 챙겨 가야지!"

둔네와 엘라 프리다의 계획은 원숭이 나무로 도망가는 것이었어요. 그곳에 숨으면 아무도 찾지 못할 테니까요.

둔네와 엘라 프리다는 집 밖으로 몰래 나갔어요.

한밤중 도둑처럼 살금살금.

아무도 눈치 못 채게.

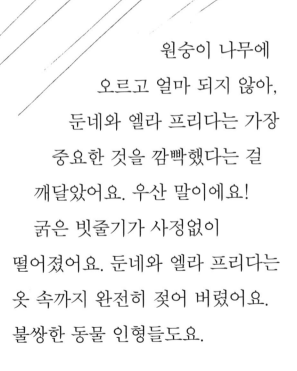

원숭이 나무에
오르고 얼마 되지 않아,
둔네와 엘라 프리다는 가장
중요한 것을 깜빡했다는 걸
깨달았어요. 우산 말이에요!
굵은 빗줄기가 사정없이
떨어졌어요. 둔네와 엘라 프리다는
옷 속까지 완전히 젖어 버렸어요.
불쌍한 동물 인형들도요.

결국 둔네와 엘라 프리다는 동물 인형들을 안고
집으로 달려가야만 했어요. 안 그러면 두 동물
인형이 다시 아플 테니까요.

둔네와 엘라 프리다의 도망은 끝이 났어요.
빗줄기가 얼굴을 찰싹찰싹 때렸어요. 빗줄기는
잔디도, 나무도, 노르셰핑 마을도 찰싹찰싹
때렸어요.
굵은 빗줄기에 흠뻑 젖은 담요는 그대로 나무
밑에 뒀어요. 다른 물건들은 나뭇가지 사이에 끼워
두었고요.
의자는 역시나 깜빡했고요.

그때 엘라 프리다의 엄마는 의자에 대해서는
아무 말도 하지 않았어요. 비가 오는데도
밖에 나갔던 둔네와 엘라 프리다를 야단쳤을
뿐이었어요. 둔네의 아빠는 이제 집에 가야
한다고 했어요. 둔네는 차에 올라타 안전띠를
맸어요.

둔네는 뒷좌석에 앉아 창문 밖으로 빗방울이
떨어지는 것을 바라봤어요. 차가 출발하려는
순간이었어요.

엘라 프리다가 인어 공주처럼 비에 흠뻑 젖은
채 달려왔어요. 둔네는 그 순간을 절대 잊을 수가
없어요.

엘라 프리다가 소리쳤어요.

"기다려! 작별 선물을 깜빡했어!"

선물은 시 노트였어요. 친구끼리 서로에게
아름답고 짧은 시를 써 주는 작은 책 말이에요.

첫 장을 빼고는 아직 모든 장이 비어 있었어요.
첫 장에는 엘라 프리다의 예쁜 손 글씨로
이렇게 적혀 있었어요.

너는 장미고,
나는 가시야.
구석에 앉아 네게 글을 쓰는 네 친구를 잊지 마.

절대 잊지 마.
세상에서 가장 친한 네 친구,
엘라 프리다를.

열 번째 이야기

둔네는 이 시를 읽을 때마다 행복해졌어요.
특히 마지막 구절을 읽을 때면 말이지요.

"절대 잊지 마.
세상에서 가장 친한 너의 친구,
엘라 프리다를."

물론 둔네는
엘라 프리다를
잊지 않을 거예요.

둔네는 한두 가지 일을 종종 잊어버렸어요.
예를 들어 재킷이나 모자를 학교에 두고 온다거나
하는 것 말이지요. 꽤 자주 있는 일이에요.

책가방도 마찬가지고요. 체육복 가방,
숙제 알림장, 소풍 가는 날에 먹을 도시락도
잊어버린다니까요.

둔네는 자주 깜빡깜빡하는 편이에요. 조금
전까지 아빠에게 왜 그렇게 화가 났었는지도 벌써
잊어버렸을 정도인걸요!

아빠는 도대체 뭘 하고 있는 걸까요? 왜 다시
둔네 방문을 두드리지 않지요?

둔네는 바닥에서 일어나 문을 열고 코를 밖으로
들이밀었어요.

오! 맛있는 냄새!

둔네는 자기도 모르게 냄새를 따라 부엌으로

갔어요. 식탁 앞에 선 아빠는 둔네가 앉을 의자를
당겨 주었어요.

"우리 딸, 막 구운 팬케이크 몇 장 먹어 볼래?"

"좋아요!"

둔네가 대답하며 의자에 앉았어요.

둔네는 배가 빵빵해질 때까지 팬케이크를 먹었어요. 그러고는 의자에 몸을 기대고 잠시 눈을 감았어요. 이제 좀 쉬어야겠다고 생각했어요.

그런데 아빠는 다른 계획이 있는 듯했어요.

"자, 이제 가자. 모두들 기다리고 있어."

"누가요?"

"선생님과 그 여자아이들이지."

둔네는 귀를 의심했어요. 아빠가 아직도 그 이야기를 하는 걸까요?

아빠가 단호히 말했어요.

"둔네! 사람에게 케첩을 뿌리고도 사과하지 않겠다니! 우리 가족 중에서 그러는 사람은 없어."

아빠가 뭐라고 하든 둔네는 아빠의 말을 들을
생각이 없었어요.
그러나 아빠도 포기하지 않았어요.

아빠가 눈에 힘을 주고 부탁했어요.
"그럼 이것 한 가지만 말해 줘. 왜 그랬어?"

둔네는 옷을 걷어 올렸어요.

아빠가 굳은 얼굴로 물었어요.
"이게 다 뭐야?"
둔네가 기어들어 가는 소리로 말했어요.
"꼬집힌 자국요."

"꼬집힌 자국이라고? 학교에서 아이들끼리 서로 꼬집는 거야?"

둔네는 고개를 저었어요.

"비칸이랑 미칸만요……."

아빠는 둔네가 더 말하기도 전에 자리에서 일어나 현관문 쪽으로 갔어요. 아무 말도 없이 재킷을 집어 들고는 문을 열었어요.

아빠는 무슨 생각을 하는 걸까요?

둔네도 급히 일어났어요. 아빠를 따라가야 할 것 같았어요.

그런데 신발 한 짝은 도대체 어디로 간 걸까요? 한 짝은 모자를 두는 선반에서 찾았는데 말이에요. 다른 한 짝은 꽃병을 놓았던 탁자 위에 있었어요.

둔네는 소리치며 아빠를 따라갔어요.

"같이 가요!"

열한 번째 이야기

학교에 도착하기 전에 둔네는 아빠를
따라잡았어요. 화가 단단히 난 아빠는 교실 문을
열어젖히고는 교실 안으로 성큼 들어갔어요. 교실
안은 순간 굳어 버린 것만 같았어요. 얼음 땡
놀이를 할 때처럼 말이지요.

미칸은 선생님에게 수학 문제를 물어보러
앞으로 나갔다가 자리에 멈춰 섰어요.

비칸은 수학책 가까이로 몸을 웅크렸어요.

아빠는 반 아이들을 둘러보더니 천둥 번개가
치듯 큰 소리로 말했어요.

"우리가 왜 왔는지 알겠지?"

아무도 대답하지 않았어요.

마침내 쿠덴이 손을 들었어요.

"둔네가 미안하다고 말하려고요."

아빠가 말했어요.

"아니! 둔네는 미안하다고 하지 않을 거야.
지금 이 교실에 있는 다른 누군가가 둔네에게
미안하다고 말해야 해."

아빠는 미칸을 노려보았어요. 미칸은 모르는
척했고요. 아빠가 이번에는 비칸을 노려보았어요.
그러나 비칸도 숫자를 세는 척했어요.

그러자 아빠는 등 뒤에 숨어 있던 둔네를
끌어당겨 소매를 걷어 올렸어요.

모두가 둔네의 팔을 봤어요.

"둔네의 팔이 왜 이렇게 되었는지 아는 사람?"

아빠가 둔네의 팔을 가리키며 말했어요.

"여길 봐. 여기 꼬집혀서 멍든 거 보이지? 여기,
여기, 여기…… 여기!"

교실의 모든 아이가 둔네의 멍 자국을
보려고 모여들었어요. 미칸만 급히 자기 자리로
가서 앉았어요. 비칸은 자리에 앉아 수학책을
넘겼고요.

선생님도 둔네에게 다가왔어요. 그리고 둔네의
멍 자국을 보았어요.
선생님이 말했어요.
"아! 이제야 이해가 되는구나."
선생님도 아빠처럼 화가 났는지 목소리가
커졌어요.
선생님은 고개를 저으며 비칸과 미칸에게
다가갔어요.

"미카엘라, 어떻게 된 거지?"

미칸이 소리 높였어요.

"우리…… 우리는 그냥 놀았어요!"

선생님이 콧방귀를 뀌었어요.

"놀았다고? 둔네도 같이 놀았니?"

아무런 말이 없던 미칸이 다시 소리를 높였어요.

"아니요. 그렇지만, 비칸도 꼬집었어요."

선생님은 비칸에게 고개를 돌렸어요.

"빅토리아, 그게 사실이니?"

비칸이 어물거리며 대답했어요.
"멍이 생길 줄은
몰랐어요."

선생님은 등을 곧게 세우고는 반 아이들을
바라봤어요.
선생님이 한숨을 쉬며 말했어요.
"정말 슬픈 일이야."

다시 조용해졌어요.

"이런 일을 당한 사람이 둔네 말고 또 있니?"

선생님의 말에 요나탄이 손을 들었어요.

"저요. 비칸과 미칸이 저를 밀었어요."

그러자 수시에가 자신도 얘기할 게 있다고 손을

들었어요.

수시에는 숨을 내쉬더니 말했어요.

"저도 슬픈 일이 있었어요."

선생님이 수시에의 말에 귀를 기울였어요.

"그래?"

"우리 햄스터가 죽었어요."

"그건 비칸과 미칸의 잘못은 아니구나."

그러자 쿠덴이 나섰어요.

"그건 아니지만 슬픈 건 맞아요."

그날 교실의 모습은 이랬어요.

아마 다른 교실도 이런 날들이 많았겠지요.
들리지는 않았지만요.

그런데 갑자기 놀라운 일이 일어났어요.

다시 교실 문이 열리더니 그 앞에 누가 서
있었는지 알아요?

열두 번째 이야기

엘라 프리다예요!

엘라 프리다가 문 앞에 서서 함빡 웃고 있었어요.

반 아이들이 수군거렸어요.

베니가 소리쳤어요.

"엘라 프리다가 여기 왜 온 거지?"

베니의 목소리는 엘라 프리다에게 전혀 들리지
않는 것 같았어요. 엘라 프리다의 눈은 교실을
빠르게 훑고 있었어요.

그러다 둔네의 자리가 빈 것을 보고 엘라
프리다의 얼굴에서 미소가 사라졌어요.

엘라 프리다가 말했어요.

"둔네는 어디 있어?"

둔네는 너무 놀라서 꿈을 꾸는 것만 같았어요.
정신을 차리고 엘라 프리다를 향해 달려갔어요.

엘라 프리다는 기뻐서 크게 소리를 질렀어요.

"둔네, 너구나!"

잠시 후, 엘라 프리다의 두 번째 아빠 우페가
교실을 들여다보았어요.

우페가 쑥스러운지 어색해하며 말했어요.

"방해해서 죄송합니다. 중요한
회의가 있어서⋯⋯."

선생님은 어리둥절해하며 우페를 바라보았어요.

우페가 설명했어요.

"아, 그게 어떻게 된 거냐면요…… 아침에
노르셰핑에서 출발할 때는 혼자 차를 타고 있는
줄 알았는데, 쇠데르텔리에(스톡홀름 남서쪽의
도시:옮긴이)에 도착할 즈음, 차에서 누군가
하품하는 소리를 들었어요."

선생님이 말했어요.

"네?"

우페가 말을 이어 갔어요.

"엘라 프리다가 뒷좌석에 숨어 있었어요.
제가 알아차리지 못하도록 몰래 차에 숨어 탔던
거예요. 둔네를 만나겠다고……."

아빠가 우페의 말을 끊으며 말했어요.

"정말 잘됐네요. 엘라 프리다를 여기 두고
가세요. 우리가 돌보겠습니다."

종소리가 울렸어요. 간식 시간이었어요.

모든 아이들은 서둘러 식당으로 갔어요. 간식 시간이 되면 긴 줄을 서야 하니까요. 불라(계피 향과 맛이 나는 빵으로, 스웨덴 사람들이 즐겨 먹는 간식:옮긴이)나 크링라(매듭 모양의 유럽식 간식:옮긴이)를 받게 될 때는 특히 그랬지요. 과일 샐러드나 핫도그나 와플을 받게 될 때도 그렇고요. 자주 있는 일은 아니지만요.

평소에는 딱딱한 빵과 사과를 받아요. 그것도 맛있고요.

비칸과 미칸은 다른 아이들 사이에 섞여 몰래 나가려다 선생님에게 딱 걸렸어요.

선생님이 말했어요.

"너희 둘, 거기 서!"

열세 번째 이야기

둔네와 엘라 프리다는 학교 식당에
들어서자마자 사과를 한 알씩 챙겨서 제일 끝에
있는 구석 자리 식탁으로 갔어요. 예전에 둘이 늘
앉던 그 자리로요.

그렇지만 이번에는 단둘이 아니었어요.

아이들 모두가 엘라 프리다에게 그동안 있었던
일을 얘기하고 싶어서 모여들었으니까요.

메테보리는 머리에 눈덩이를 맞은 일을
얘기하고 싶었는데, 이르마가 그건 그냥 작은 눈
뭉치였다고 무시해 버렸어요.

수시에는 자신의 죽은 햄스터 얘기를 하고
싶었어요. 이름은 '부숭이'라고 했어요.

요나탄은 자신의 치아 교정기를 보여 주고
싶었어요.

그때 쿠덴과 베니가 와서 모두 운동장으로 나가
숨바꼭질 놀이를 하자고 했어요.

그래서 모두 그렇게 했지요. 숨바꼭질은 사람이
많을수록 재미있으니까요.

비칸과 미칸을 빼고 모두가 숨바꼭질을 했어요.

비칸과 미칸은 쉬는 시간 동안 교실에 남아
선생님과 둔네 아빠와 이야기를 해야 했어요.

둔네가 다니는 학교 운동장은 근사했어요.
정글짐도 두 개, 그네도 여섯 개, 꽤 넓은
축구장도 있어요.
　무엇보다 가장 근사한 건 숨바꼭질 나무였어요.
다른 아이들이 달려가 숨는 동안 쿠덴이 얼굴을
대고 서서 백까지 세는, 그 나무 말이에요.

둔네와 엘라 프리다는 체육용품을 보관하는
창고로 달려갔어요. 그런데 그곳은 이미
메테보리와 베니가 차지하고 있었어요.

둔네와 엘라 프리다는 모래가 채워진 파란
상자로 갔어요.
그곳에는 이미 요나탄이 누워 있었어요.
둔네와 엘라 프리다는 계단으로
달려갔어요. 계단 아래는
수시에, 빅토르, 이르마,
가브리엘, 옌스가
있어서 숨을
자리가 더 이상
없었어요.

엘라 프리다가 둔네에게 제안을
했어요.
"우리 나무 뒤에 숨자. 거긴
쿠덴이 찾을 리 없어."

술래 쿠덴이 친구들을 막
　　　찾으려는데, 쉬는 시간이
　　　끝나는 종소리가 울려
　　　퍼졌어요.
　　　아, 아까워!

열네 번째 이야기

비칸과 미칸이 교실 문 옆에서 기다리고
있었어요.

하얀 토끼처럼 빨간 눈을 하고 말이지요. 엄청
울었던 모양이에요. 선생님이 비칸과 미칸의
부모님들과 이야기를 나누겠다고 했어요. 반
아이들은 모르는 일이지만요.

비칸과 미칸은 먼저 둔네에게 사과해야 하는데
그러고 싶지 않았어요.

선생님이 물었어요.
"얼마나 기다려야 하니?"

비칸과 미칸은 아무 말도 하지 않고 앞만
바라보았어요.

한참 동안 아무 일도 일어나지 않았어요. 모두
비칸과 미칸이 미안하다고 말할지 궁금해하며
기다렸어요. 아이들 몇몇은 서서 기다리는 일이
지쳐 보였어요.

선생님이 재촉했어요.

"자!"

비칸과 미칸은 딱딱하고 조용한 동상처럼
가만히 서 있기만 했어요.

결국 둔네가 먼저 말했어요. "사과할 필요
없어." 하고 말이지요.

"난 어쨌거나 너희를 용서할 거니까."

아이들은 그제야 숨을 내쉬었어요. 그렇게
이야기는 끝이 났어요. 아이들은 교실 안으로
들어갔어요.

아빠는 그제야 '수요일 달리기'를 하러 길을
나섰어요.

엘라 프리다는 자신의 옛 자리에 앉았어요.

아직 비어 있어서 얼마나 다행인지!

엘라 프리다가 물었어요.

"둔네! 왜 비칸이랑 미칸이 너한테 잘못했다고
사과하는 거야?"

둔네가 말했어요.

"왜냐면 내가 둘한테 케첩을 뿌리게 했거든."

"아, 그랬구나."

사실 엘라 프리다는 둔네가 무슨 말을 하는지
알아듣지 못했지만, 중요한 건 자신의 옛 자리가
그대로 있다는 것이어서 상관없었어요.

반 아이들이 조용해지자 선생님이 말했어요.

"이번 시간에는 물고기를 그릴 거예요."

이번 주는 '물고기와 갑각류(게, 새우처럼 몸이 딱딱한 껍질로 싸여 있는 물속 동물:옮긴이)를 그리는 주' 였어요. 둔네와 엘라 프리다는 각자 아주 뾰족한 이빨을 가진 물고기를 그렸어요.

그러고 나서 선생님은 모두
'나만의 이야기책'을
꺼내도록 했어요.

나의 행복한 인생

둔네가 만드는 이야기책 제목이에요.

둔네가 이야기책에 글을 쓴 건 정말 오래전
일이에요. 오늘도 글을 쓸 것 같진 않지만요.
　둔네는 자리에 앉아 연필을 들고 엘라 프리다를
바라보며 미소를 지었어요.

선생님이 말했어요.

"자, 시작해요!"

둔네가 걱정했어요.

"뭘 써야 할지 모르겠어요."

선생님이 제안했어요.

"행복했던 때를 떠올려서 써 보렴."

둔네가 말했어요.

"전 늘 행복한걸요."

그래요. 둔네는 불행을 담아 두지 않아요.

선생님이 다시 말했어요.

"그럼 특별히 행복했던 때를 떠올리며 쓰면 되겠구나."

둔네는 이야기책에 몸을 기울였어요.

둔네는 이야기책에 이렇게 글을 썼어요.

나는 늘 특별히 행복해, 엘라 프리다와 함께 있을
때면 말이지.

엘라 프리다는 몸을 빼서 둔네가 쓴 것을
읽고는 자신도 거의 똑같이 써 내려갔어요.

나는 늘 특별히 행복해, 둔네와 함께 있을 때면
말이지.

엘라 프리다는 둔네를 따라 하지 않아요. 절대
그러지 않지요. 자주 비슷하게는 하지만요.

모든 것이 그때와 거의 똑같았어요. 둘이서
매일매일 같이 앉았던 때처럼 말이에요.

그때만 해도 둔네는 자신이 얼마나 행복한지를
많이 생각하지 않았어요. 그럴 시간이 없었거든요.

지금도 시간은 없어요. 그저 생각하지요.
'세상에 나와 엘라 프리다처럼 서로를 이렇게
좋아하는 사람은 별로 없을 거야.'라고. 또 둔네는
학교를 마치고 엘라 프리다와 어떤 즐거운 놀이를
할지도 생각하고요.

둔네는 지금처럼 행복한 적이 꽤 오랫동안
없었던 것 같았어요.

둔네는 이야기책에 계속해서 글을 썼어요.
그리고 이렇게 글을 마쳤어요.

내 마음이 뛰고 웃어.

옮긴이의 말

늘 행복한 아이, 둔네를 다시 만나게 돼서 너무 기뻐요. 그동안 둔네가 어떻게 지냈는지 궁금했거든요. 《오늘 더 행복해!》는 앞서 출간된 《행복해, 행복해!》의 주인공 둔네가 초등학교 1학년이 되어 벌어지는 학교생활과 일상을 함께 따라가는 작품이에요. 둔네를 통해서 자연스럽게 스웨덴 초등학생의 모습을 들여다볼 수 있지요.

둔네는 어릴 때 엄마가 돌아가셔서 아빠와 단둘이 살지만 (아, 둔네가 사랑하는 기니피그 두 마리도요.) 엄마에 대한 따뜻한 기억을 떠올리며 행복해할 수 있어요. 그리고 아빠의 든든한 사랑으로 엄마에 대한 그리움보다는 하루하루의 행복을 훨씬 크게 느끼는 아이랍니다. 둔네가 특별한 건 아빠와 단둘이 살아서가 아니에요. 세상에는 여러 이유로 엄마하고만 살거나 아빠하고만 사는 아이들이 있어요. 그 아이들은 학교를 다니는 데 어려움을 겪지는 않는답니다. 둔네처럼 늘 행복한 아이가 되는 데도 문제없고요.

잠이 오지 않으면 행복했던 때를 떠올리는 행복한 아이 둔네. 하지만 오랜만에 만난 둔네는 어쩐지 외로워 보였어요.

둔네는 설레고 떨리는 마음으로 입학한 학교에서 소중한 단짝 친구인 엘라 프리다를 만났어요. 친구와 함께할 때 가장 행복하다고 느꼈는데, 엘라 프리다가 다른 도시로 이사를 가서 헤어지게 되었거든요.

물론 둔네는 같은 반에 있는 다른 친구들과도 친하게 지내고 학교에서 수업을 받는 것도 좋아하지만, 마음 한편에는 늘 엘라 프리다에 대한 생각으로 가득해요. 둔네는 멀리 전학 간 친구가 언젠가는 다시 돌아올 거라고 굳게 믿고 있어요. 여러분에게도 그런 소중한 단짝 친구가 있나요? '너와 함께할 때 제일 행복해.'라고 생각할 만큼?

지금은 누구나 인터넷이나 SNS, 블로그 같은 소셜 미디어를 이용하고, 핸드폰으로 문자를 주고받으니까 친한 사람과 멀리 떨어져도 완전히 연락이 끊기는 일은 잘 없지요. 하지만 그런 것들이 전혀 없던 시절의 아이들은 전학 가게 되면 친했던 친구들과 연락도 끊기고, 영영 헤어지게 되었던 것 같아요. 다시 볼 수 없다고 생각했죠.

둔네와 엘라 프리다를 연결해 주는 건 놀랍게도 인터넷이나 소셜 미디어, 핸드폰이 아니었어요. 둘 사이에 그런 건 상관이 없었죠. 두 친구를 이어 주는 건 믿음이었어요. 서로를 소중한 단짝으로 생각하고 절대 잊지 않는 마음 말이에요. 여러분에게도 그런 친구가 있다면, 그리고 그 친구와 우정을 계속해서 가꾸어 나갈 수 있다면 참 든든하고 힘이 될 거예요.

성장한다는 건 내 세계가 넓어진다는 거예요. 학교와 학원에서 가르치는 다양한 배움도 중요하지만, 둔네처럼 좋은 친구와 시간을 보내며 서로의 중요한 부분이 되어 세계를 공유하는 것이야말로 진짜 성장이 아닐까요?

"내 마음이 뛰고 웃어." 참 멋진 표현이에요. 여러분도 둔네처럼 이렇게 말할 수 있으면 좋겠어요.

황덕령